SOSBAN FACH

'SOSBAN FACH'

Am o leiaf gan mlynedd Llanelli oedd y dre fwyaf llwyddiannus yn y byd am gynhyrchu a marchnata dur ac alcam, gan ennill y ffugenw Tinopolis. Ffugenw arall oedd Slash - roddwyd gan filwyr Americanaidd oedd yn methu yngan yr enw cywir.

For over a hundred years the town of Llanelli was the world market leader in the manufacture of steel and tinplate, which led to its nickname Tinopolis. Another nickname - Slash - was given by American servicemen who couldn't get their tongues round its proper name.

WELSH TINPLATE & METAL STAMPING CO. LTD.

DIRECTORS: A. D. JONES   R. W. HOLMES   M. G. HOPKINS

66   99

Goat-Brand

HOLLOW-WARE

LLANELLY P. O. BOX 14
CARMARTHENSHIRE
GREAT BRITAIN

OUR REF.

YOUR REF.

Ond ffatri a sefydlwyd yn 1891 i fanteisio ar y ffaith bod digonedd o ddur wrth law a roddodd y ffugenw sy'n glynu.

Roedd y ffatri hon yn cyflogi merched, ac yn gwerthu offer coginio dan yr enw 'Goat Brand' i Woolworths. Roedd yn allforio ei chynnyrch i Awstralia a De America ac yn gyfrifol am wneud miloedd o sosbenni – rhai lliwgar, rhai plaen, rhai bach, rhai mawr. A dyna sut cafodd y dre'r enw sy'n adnabyddus i bawb - Sosban.

But it was the Welsh Tinplate and Stamping Company factory, established in 1891, which exported kitchen equipment all over the world and supplied Woolworths with its famous 'Goat Brand' tinware, and which produced saucepans in various sizes enamelled with a blue beading at the rim, that was responsible for the nickname that stuck: Sosban.

Sosban Fach

Aeres Twigg

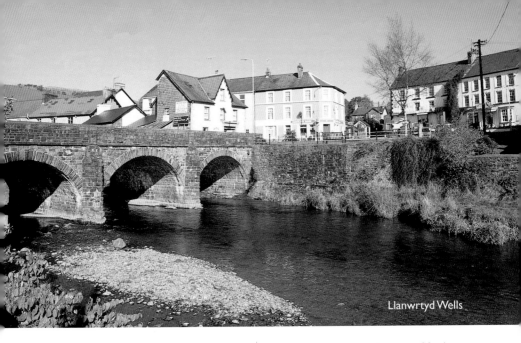

Llanwrtyd Wells

Pan ddaeth y gân 'Sosban Fach' i dre'r Sosban, pa ryfedd i'r trigolion ei chymryd at eu calon?

Ond nid o Lanelli y daw'r gân yn enedigol. Symud i mewn i'r dre o ardal wledig a wnaeth hi, fel miloedd o weithwyr y cyfnod.

Tua diwedd y bedwaredd ganrif ar bymtheg, roedd hi'n ffasiynol i dreulio wythnos neu ddwy yn cymdeithasu ac yn 'cymryd y dŵr' o'r ffynhonnau.

Arferai'r Rhufeiniaid ddefnyddio'r dŵr o ffynnon Llanwrtyd, ond wedyn aeth yn angof am gyfnod. Y Parch Theophilus Evans, (awdur *Drych y Prif Oesoedd*) a

And when the inhabitants of Sosban heard the song 'Sosban Fach' what more natural than that they should adopt it as their own?

However, the song was not Llanelli born. Like the workers in the town's factories it migrated there from a rural area.

At the end of the nineteenth century it was fashionable to frequent spas, taking the waters and enjoying the company of fellow visitors.

The spa at Llanwrtyd Wells had been used by the Romans, but had then been forgotten. It was rediscovered in 1732 by

DRYCH

Y

PRIF OESOEDD

Yn Dowy Ran.

RHAN. I. Sy'n traethu am Gyff-genedl y CYMRU, a'r Rhyfel a fu rhyngddvnt, a'r RHUFEINIAID, *Gwyddvl Ffich-tiaid*, ac a'r SAESON. Eu Coel-gre-fvdd a'i Moesau cyn iddynt dderbyn y Grefydd Grift'nogol.

RHAN. II. Sv'n crybwyll am BREGE-THIAD yr *Efengyl* vm MHRYDAIN, a pha beth bynnag a ddigwyddodd mvwn perthvnas i GREFYDD. Difgyblaeth ac Athrawiaeth v BRIF EGLWYS, ynghyd a Moefau'r PRIF GRIST'NO-GION yn gyffredinol.

Wedi ei gafglu allan o'r Awdwyr gorau a fgrifennafant a'r y Teftunau hynny, gan

THEOPHILUS EVANS.

Yftyriais v Dyddiau gynt. Blynyddoedd yr hên Oefoedd. PSAL. LXXVII. 5.

Argraphwyd, yn y MWYTHIG gan JOHN RHYDDERCH tros yr Awdur, 1716.

oedd yn ficer yn Llangamarch, a'i darganfyddodd o'r newydd yn 1732. Roedd e'n dioddef o'r sgyrfi. Roedd e wedi clywed sôn am y 'Ffynnon drewllyd' a chwiliodd amdani yn y corsydd ger Llanwrtyd. Ar ôl dod o hyd i'r ffynnon trwy ddilyn yr arogleuon cas, bu mewn dau feddwl ynglŷn ag yfed y dŵr gan bod rhai'n credu ei fod yn wenwynllyd.

Gwelodd lyffant yn dod allan o'r dŵr a mentrodd yntau yfed. Wedi cymryd dwy ddracht daeth ei archwaeth at fwyd yn ôl ac ar ôl deufis o yfed y dŵr a'i ddefnyddio at ymolchi roedd e'n holliach.

Rev Theophilus Evans, an author who was vicar at Llangammarch Wells some four miles away, and who suffered from chronic radicated scurvy.

He had heard that 'Ffynnon drewllyd' (stinking well) was poisonous and he searched for it in the boggy ground near Llanwrtyd.

The smell of sulphur having led him to the well, he wondered whether to risk drinking from it. His mind was made up for him by the sight of a frog emerging from the water, and he reported that after two doses his appetite returned, and that after two months of using the water for bathing and for drinking he was cured.

Victoria Square, Llanwrtyd Wells

Roedd Penry Lloyd yn aelod o deulu bonedd yn yr ardal ac ymroddodd ymhlith eraill i sefydlu canolfan hamdden gerllaw'r ffynnon - Ffynnon Victoria - fel y gallai ymwelwyr gymryd y dŵr sylffwr, y cryfa yng Nghymru a chystal â dŵr Harrogate.

Penry Lloyd, member of a local gentry family was involved in establishing facilities at the well, named Victoria Wells, so that visitors could obtain the sulphurous water, the strongest in Wales, and comparable with that at Harrogate.

Dolcoed Sulphur Well, Llanwrtyd Wells.

Ar y dechrau boneddigion oedd y rhan fwya o'r ymwelwyr, ond erbyn troad y ganrif roedd degau o filoedd o bobl yn mynd yno.

At first it was patronised mainly by the gentry, but Llanwrtyd Wells welcomed tens of thousands of visitors by the turn of the century.

Bydden nhw'n cynnal cyngherddau a Nosweithiau Llawen gyda'r hwyr a dyna lle clywyd 'Sosban Fach' gynta.

Roedd y bardd Mynyddog wedi cyhoeddi llyfr o farddoniaeth yn 1877 yn cynnwys:

These visitors made their own amusements at Llanwrtyd, with nightly impromptu concerts, and that is where the song Sosban Fach was first heard. In 1877 the bard Mynyddog published one of his poems containing the lines:

Pan fo Catherine Anne wedi briwo
A Dafydd y gwas ddim yn iach
A'r babi yn nadu a chrio
A'r gath wedi crafu John bach.

(When Catherine Anne has injured herself, and Dafydd the manservant is unwell, and the baby is yelling and weeping and the cat has scratched little John.)

Yn ôl Brynallt Williams (Llyfrgell Caerfyrddin) dyma'r geiriau sylfaenol i 'Sosban Fach' a Mynyddog, felly, yw'r awdur.

According to Brynallt Williams (Carmarthen Library) these are the basic words of the song, and Mynyddog was the rightful author.

Pan ddaeth y gân yn boblogaidd bu llawer o addasu ac ychwanegu gan eraill, a bu tipyn o lythyra yn y papurau newyddion rhwng Mr Talog Williams a'r Parch D.M.Davies, y ddau'n hawlio mai hwy oedd awdur y penillion hyn.

When the song became popular, many additions and alterations were made to it by others, and there was some newspaper correspondence from two persons who claimed authorship, Mr Talog Williams and the Rev D.M.Davies.

Roedd Talog Williams yn honni bod Mr William Harrison o Abertawe, oedd yn arwain y canu yn y cyngherddau nosweithiol, wedi gofyn iddo am benillion, a'i fod e wedi eu cyfansoddi tra oedd e'n sefyll yn Britannia House, Llanwrtyd, fis Awst 1895, a'i fod wedi trosglwyddo'r copi cyntaf i Mr Johns o Dreforus, cyd-westai yn y tŷ.

Talog Williams claimed that Mr William Harrison from Swansea, who usually led the singing at impromptu concerts at Llanwrtyd, had requested extra verses from him. They were written at Britannia House, Llanwrtyd, in August 1895 and the first copy was handed to Mr Johns of Morriston, who was a fellow boarder there.

Roedd y Parch D.M. Davies ar y llaw arall yn dadlau mai ef a sgrifennodd y penillion yng nghyffiniau'r Ffynhonnau Isaf ddechrau Awst 1895 a bod y côr wedi eu canu dan ei arweiniad ef ei hun. Ychwanegodd bod ganddo gywilydd drostynt, ac mai ffwlbri llencyndod oedd y cyfan.

O ran y cytgan, fe gydnabyddir yn gyffredinol mai Talog Williams a'i sgrifennodd yn Awst 1895:

Sosban fach yn berwi ar y tân
Sosban fach yn berwi ar y tân
A'r gath wedi - huno.

Cyfrannodd myfyriwr diwinyddol o Fangor yr alaw, naill ai o'i gof neu o'i ddychymyg. Dywed un arbenigwr mai 'cymysgwch o emyn dôn a chân ysgafn' yw'r gerddoriaeth tra dywed eraill mai can draddodiadol Gymreig yw.

Lluniwyd pedwar pennill ychwanegol - rhai ysgafn doniol - ac yn ddiamau roedd y ffaith eu bod yn cael eu canu gydag angerdd yn ychwanegu at y miri.

The Rev D.M. Davies on the other hand claimed that he had written the verses in the grounds ofthe Lower Wells in the early part of August 1895, and that they were sung by a large choir conducted personally by himself. He added that he was ashamed of them as being the folly of youth.

It is generally accepted that Talog Williams contributed the chorus in August 1895. It translates as:

'The little saucepan is boiling on the fire,
The little saucepan is boiling on the fire
And the cat has — passed away'

A theological student from Bangor either composed or produced the tune from memory. One music critic described it as 'a mixture of hymn-tune and comic song' and others declared that it was an old Welsh air.

Four other verses, light hearted nonsense, were added and no doubt they were sung with fervour and created a great sense of fun.

Dyma fersiwn Talog Williams a gyhoeddwyd yn y *South Wales Daily News*, 19 Mehefin 1915, ond cadwodd ei enw'n gyfrinach.

This is Talog Williams' nonsense version of the words of Sosban Fach which appeared anonymously in the *South Wales Daily News*, 19 June 1915.

Mae bys Meri Ann wedi chwyddo
A Dafydd y gwas ddim yn iach
Mae'r baban yn y crud yn crio
A'r gath wedi crafu Joni bach.

   Sosban fach...

Mae bys Meri Ann wedi gwella
Ond Dafydd y gwas sydd yn ei fedd
Mae'r babi o'r crud wedi tyfu
A'r gath yn huno mewn hedd.

   Sosban...

Mae Mari y forwyn yn becso
Am Dafydd holl gariad ei chôl
Y gath sydd yng ngwaelod y dyffryn
A'r cwrcyn ei hunan sydd ar ôl.

   Sosban...

Mae'r babi yn awr bron priodi
A'i gariad yw merch o Felinwen
Mae'n scwintio yn rhyfedd o salw
A brwynen yn tyfu ar ei phen.

   Sosban...

Terfynwn yn awr yn ddifrifol
Y band ddaw i chwarae'r Dead March
A'r gath gadd ei chladdu'n dra doniol
Mewn bocs wedi bod yn cadw starch.

   Sosban...

Cytgan

   Sospan fach yn berwi ar y tân
   Sospan fach yn berwi ar y tân
   A'r gath wedi - huno.

Ym 1915, ysgrifennodd Mr D.W. Prosser o Fynachlog Nedd ei fod e wedi digwydd ymweld â Phen-bre pan ddaeth y gân i'r ardal honno gyntaf. Roedd ei frawd, Joshua, swyddog yn ffatri Metel Elliot, Pen-bre, wedi cael ei anfon i Lanwrtyd am bythefnos er lles ei iechyd.

Pan ddychwelodd i'w waith yn ffatri metel Elliott fe ganodd e'r gân i'w frawd, gan ddweud bod y llanciau yn y gwaith i gyd yn ei chanu, a'i bod wedi ymledu trwy

A Mr D.W.Prosser of Neath Abbey wrote in 1915 that he had been in Pembrey when the song first became known in that area. His brother Joshua was an official at Elliot's Metal Works, Pembrey, and was sent, for health reasons to Llanwrtyd for a fortnight.

When he visited him at the works on the day following his return, Joshua sang the song in his office, and told his brother that all the chaps at work were singing it, and that it had spread over Pembrey like a prairie fire. Mr Prosser wrote: 'The

Safle Ffynnon Dolcoed, Llanwrtyd.
Dolcoed Well, Llanwrtyd

Ben-bre fel tân gwyllt. A'r dydd canlynol roedd wedi cyrraedd Llanelli gan fod rhai o lanciau Pen-bre'n mynd i Lanelli bob hwyr. Canodd Mr Prosser y gân i'w fam-gu ym Mynachlog Nedd gan beri i honno chwerthin yn galonnog.

Er i Lanelli fabwysiadu 'Sosban Fach' mae pobl Llanwrtyd yn dal i ddatgan bod ganddyn nhw hawl ar y gân hefyd. Maen nhw'n bwriadu adeiladu lloches ar ffurf sosban, wedi'i wneud o ddur gloyw, ar safle gwastad uwchben y dre i atgoffa ymwelwyr mai tre fach Llanwrtyd biau 'Sosban fach'.

following day it was in Llanelly, carried there by the Pembrey boys, some of whom went to Llanelly every night. I brought it to Neath Abbey and sang it to my grandmother who laughed heartily when she heard it.'

Llanelli may have adopted the song, but the people of Llanwrtyd still insist that they have a share in it. They intend building a saucepan-shaped shelter made of stainless steel on an observation platform overlooking the town to remind visitors that this small town of Llanwrtyd lays claim to 'Sosban fach'.

Mae llwyddiant yn erbyn timau rygbi Seland Newydd ac Awstralia yn y gorffennol wedi bod yn gyfrifol am benillion newydd Saesneg yn holi pwy gurodd y Wallabies, a phwy gurodd y Crysau Duon?

Notable victories against famous visiting teams have brought their own impromptu verses. We still hear: 'Who beat the Walla-Wallabies...? Who beat the All Blacks...? But Good Old Sosban fach.'

Welsh Rugby Union
STRADEY PARK, LLANELLI

Llanelli v. Australia

SATURDAY, 14th NOVEMBER, 1992
Kick-off — 2.30 p.m.

WEST TERRACING (Covered)   £6.00

SOUTH SIDE: Turnstiles: 16 or 17

№ 1239

LLANELLI			
GOALS	TRIES	POINTS	
2		9	
SELAND NEWYDD			
1		3	

Erbyn hyn mae'r gân wedi cael ei mabwysiadu fel anthem gan chwaraewyr a chefnogwyr rygbi clwb Llanelli. Mae'r tîm wedi ennill llawer gêm i gyfeiliant sŵn y dorf yn canu'r geiriau, ac mae sosbannau'n addurno'r pyst rygbi ar Barc y Strade.

The song has been adopted as the anthem of the Llanelli Rugby team. The Scarlets, who have saucepans on top of their goalposts, have won many a game to the accompaniment of the enthusiastic singing of 'Sosban Fach' by the crowd.

Robin MacBryde yn diolch i gefnogwyr ffyddlon—ac unllygeidiog—y Strade wrth iddynt ddathlu ennill y cwpan unwaith eto.

Robin MacBryde salutes the faithful—and one-eyed—Stradey fans as they celebrate winning the cup again.

Ond does neb yn sicr pa ddigwyddiad sy'n gyfrifol am y penillion hyn:

Dai bach y sowldiwr,
Dai bach y sowldiwr,
Dai bach y sowldiwr
A chwt 'i grys e mas.

O hwp e miwn Dai,
O hwp e miwn Dai,
O hwp e miwn Dai
Mae'n gas 'i weld e mas.

Pwy oedd Dai? Ai trempyn o gyn-filwr a roddodd ei enw i fferm Llety Dai Filwr ger Llanddarog?

Neu tybed a ydyw'r enw anghywir gennym? Ai Dai bach y *soldrwr* oedd e'n wreiddiol, wedi bod yn gweithio yn y ffatri'n gwneud sosbenni yn nhre'r Sosban?

Another older set of verses tells of Little Soldier Dai with his shirt-tail hanging out and an admonition to tuck it in for shame's sake. Who was this Dai? Was he a vagrant veteran of some long-ago war, and was it he who gave the name to a farm near Llanddarog - Llety Dai Filwr (Dai the soldier's lodging)?

Or has his name become transformed through repetition? Was he really Dai bach y *soldrwr* (solderer) and did he work at the metal stamping factory - making saucepans?

Yr hen a'r newydd: gweithwyr metel yn Llanelli ar ddechrau'r ugeinfed ganrif (chwith) a'r unfed ganrif ar hugain (uchod).

The old and the new: metalworkers in Llanelli at the beginning of the twentieth century (left) and the twenty first century (above).

Mae bys Meri Ann wedi brifo

A Dafydd y gwas ddim yn iach;

Mae'r baban yn y crud yn crio

A'r gath wedi sgramo Joni bach.

Sosban fach yn berwi ar y tân

Sosban fawr yn berwi ar y llawr

A'r gath wedi sgramo Joni bach.

Mae bys Meri Ann wedi gwella

A Dafydd y gwas yn ei fedd;

Mae'r baban yn y crud yn chwerthin

A'r gath wedi huno yn ei hedd.

Mary Anne's gone and broken her finger

And Davy the ploughboy's taken ill

The baby in the cradle is crying

The cat's gone and scratched poor little Bill.

One small pan a boiling by the door,

One large pan a boiling on the floor

The cat's gone and scratched poor little Bill.

Mary Anne's little finger is better,

Poor Dave in his grave now lies deep;

The baby in the cradle is silent

The cat now in peace lies asleep.

Dymuna'r cyhoeddwyr ddiolch i'r canlynol am roi caniatad i atgynhyrchu lluniau yn y gyfrol hon.
The publishers would like to thank the following for granting permission to reproduce pictures in this volume:

Llyfrgell Llanelli Library(t. 2, 4, 12, 20); Llanelli Star (t. 3, 16, 17, 18., 19, 21); Bwrdd Croeso Cymru/Wales Tourist Board (t. 5, 23); Bernard Fane (t. 10, 11, 14, 15, 22); Llyfrgell Genedlaethol Cymru/ National Museum of Wales(t. 6, 9); Sue Davies (t. 7, 8); Ioan Matthews (t. 17)

ac i Gwenda Lloyd Wallace am wneud y gwaith ymchwil lluniau.
and to Gwenda Lloyd Wallace for the picture researching.

Cyhoeddir fel rhan o gyfres gomisiwn Cip ar Gymru Cyngor Llyfau Cymru
Published in the Wonder Wales deries commissioned by the Welsh Books Council

(h) © Gwasg Gomer 2000

1 85902 887 X